書き込み式
新 いいこと日記

*2021*年版

中山庸子

new iikoto diary 2021

原書房

はじめに

「いいこと日記」とは……〈いいこと〉をメインに書く日記！
そして書いているうちに、どんどん〈いいこと〉が増えていく日記です。
気軽につけられて、あなたの毎日がもっと楽しくなる
「いいこと日記」には5つの大きな特徴があります。

1

〈いいこと〉をメインに書くので、
明るく前向きな気持ちになれる。

2

〈いいこと〉を見つけるのが上手になり、
ますます〈いいこと〉が増える。

3

日記の中に〈いいこと〉が並んでいて、
読み返すたびに幸せになれる。

4

うまくいかなかった日も、書いているうちに
気持ちの整理ができ、
見逃していた〈いいこと〉が見つかる。

5

「いいこと日記」は〈なりたい自分〉や
〈夢実現〉に大いに役立つ。

4、5ページでは、カラーで「こんなつけ方できます」という
サンプルを用意しました。また今回は6〜8ページに、
「各月のいいことギャラリー」を設けてあります。
他にも日記部分だけでなく、
たくさんの〈いいこと〉関連のページが用意されています。
「いいこと日記」の著者はあなた！そして愛読者もあなた！
自分らしく楽しく、さあ始めましょう！

まずは、基本ページをご紹介

フリースペース

月初めや月終わりのページにある点線に囲まれたスペース。思いついた〈いいこと〉をメモしたり、フリースペースとして活用してみて！

グリッドページ

日記ページの右側は使いやすい格子状になっています。切り抜きも貼りやすいし、図やグラフ、表なども上手に描けてとっても便利！

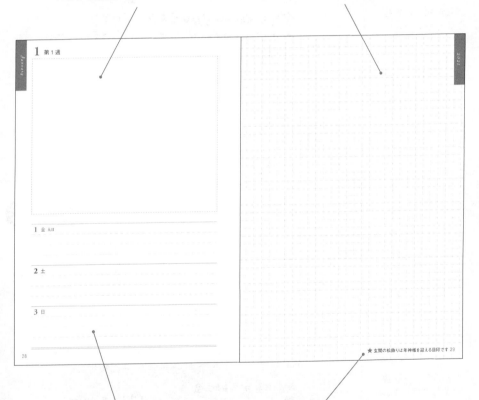

日記ページ

1日分の日記スペースです。目安として4行になっていますが、使い方は自由。その日の〈いいこと〉を自分らしく記してみましょう！

今週のひとこと

〈いいこと〉を呼びやすくする今週のひとことがあります。★はご利益ゲット、♥は生活の知恵、♥は心の持ち方のジャンル分けがされています。

こんなつけ方できます

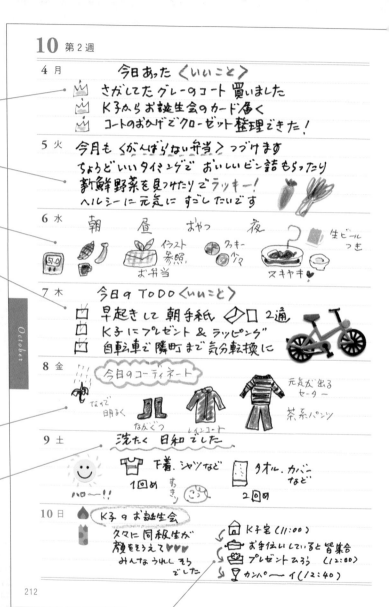

10 第2週

4 月

今日あった 〈いいこと〉
- さがしてた グレーのコート 買いました
- K子から お誕生会の カード届く
- コートのおかげで クローゼット 整理できた！

5 火

今月も 〈がんばらない弁当〉 つづけます
ちょうどいい タイミングで おいしいビン詰 もらったり
新鮮野菜を見つけたりで ラッキー！
ヘルシーに 元気に すごしたいです

6 水

朝　　昼　　おやつ　　夜

51.0　　お弁当　　イラスト参照　　クッキー　　スキヤキ　　生ビールつき

7 木

今日の TODO 〈いいこと〉
- □ 早起きして 朝手紙 ◇ □ 2通
- □ K子に プレゼント & ラッピング
- □ 自転車で 隣町まで 気分転換に

8 金

今日のコーディネート
なるべく明るく　　ながぐつ　　レインコート　　元気が出る セーター　　茶系パンツ

9 土

洗たく 日和 でした
ハロー～！！　　下着、シャツなど 1回め　　あまりこう　　タオル、カバーなど 2回目

10 日

K子の お誕生会
ひさ々に 同級生が 顔をそろえて ♥♥♥
みんなうれし そうでした

- → K子宅（11:00）
- → お手伝いしていると 皆集合
- → プレゼント わたす（12:00）
- → カンパ～イ（12:40）

212

左側の説明文:

1日分が4行なので、〈いいこと〉ベスト3などのランキングにピッタリ！

文章形式にしてもこのくらいのスペースなら気軽です

食事とその日の体重を記入すればダイエット日記にも

チェックボックスでやる気が増す

October

その日の着こなしを簡単なイラストにしておくと、後で役立ちます

1日のテーマを決めるとつけやすいです

矢印とイラストの組み合わせでも楽しい

1日ごとに、つけ方のサンプルを7パターン用意しました。
参考にしてみてください！

イメージ通りの
コート

通勤が
楽しくなり
そう♪

これです

がんばらない
弁当 つづいてます

オムライス
ブロッコリー
ミートボール

K子にプレゼント
カッティングボード
￥3150-

ナイフ
￥1670-

メッセージカードの
下書きです

K子さん
Happy Birth day
お得意な
料理 また
ごちそうしてネ

今月はいっぱい手紙を
書きたいです

グリッドページは
基本的に何でもア
リ！気が向いた時
にビジュアル重視
で楽しく作ってみ
ましょう

プレゼントの値段
なども書いておく
と後で役立ちます

2021

実物のシールを貼
って、テンション
UP！

♥人を信じ、その倍くらい自分も信じたい 213

カードを送ってしまっても、ここに記録が残ります

各月の いいことギャラリー

1月

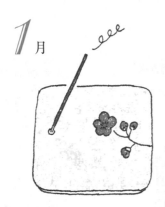

お香

日本で最初に香が用いられたのは、仏教伝来の飛鳥時代。邪気を払う役割から次第に香りを楽しむ形になりました。

2月

トリュフチョコレート

発祥はフランス。直径3cmほどの球形で世界3大珍味のひとつトリュフに似ていることから、名付けられました。

3月

ブーケ

フランス語で花束。日本では花瓶に挿すまでの包装手段でしたが、花嫁が持つようになりおしゃれに変身しました。

4月

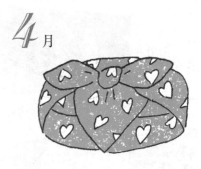

お弁当

お弁当の起源は平安時代のおにぎり。安土桃山時代に塗りの弁当箱が作られ、花見で楽しまれる存在になりました。

2021年は、暮らしの中にイキイキした楽しみを
上手に取り入れるためのキーアイテムを並べてみました。
扉ページでも、その季節ならではのお話をさせてもらいますが、
まずはイラストで各月のキーアイテムの由来や役割をご紹介します。

5月

鏡

かつては金属を磨いたものでした。14
世紀にヴェネツィアのガラス工が今の
ような鏡を作り、世界に広がりました。

6月

白いシャツ

元々ヨーロッパでシャツは下着でした
が、16世紀から白麻のシャツを見せ
ることが流行しアウターになりました。

7月

扇子

扇という字は戸が羽のように動き、風
を起こすという意味。末広がりなのも
縁起が良く、贈り物にもぴったりです。

8月

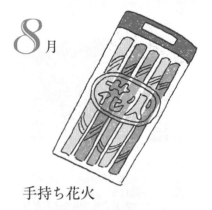

手持ち花火

古来の名は手花火。おもちゃ花火とも
呼ばれ、棒や紐がつくか筒状をしてい
て、セットで売られることが多いです。

各月のいいことギャラリー

9月

額縁

古代ギリシャに額縁の原型が見られます。建築装飾の一部とされ、今でもインテリアの重要な要素になっています。

10月

文箱

古くは書物を入れる箱を指しました。江戸時代には蒔絵の美しい文箱が作られ、嫁入り道具のひとつになりました。

11月

ポトフ

フランス家庭料理。potは鍋、feuは火を指し、肉や野菜を長時間煮込んだもの。日本版ポトフはおでんでしょうか。

12月

スノードーム

19世紀ヨーロッパでペーパーウェイトとして使われたのが始まりです。パリ万博のエッフェル塔入りは特に有名。

※由来については諸説あります。

contents
目次

〈いいこと〉を生み出し活用するための
いいこと法則 *10*

1 肝心なのは事実より解釈

2 自己新はいつでも出せる

3 〈グチりたい自分〉に対処する

4 ささやかな〈いいこと〉はかさ増ししよう

5 〈いいこと〉変換装置を持つ

6 すぐにできる〈いいこと〉リストを作る

7 忘れていいことと忘れたくないことを区別

8 あたりまえこそが〈いいこと〉

9 自分の字で書く習慣をつける

10 〈いいこと〉に年齢制限はない

わたしのデータ

氏名	生年月日
住所	
電話	FAX
携帯	E-Mail

身長	体重	血液型	星座

家族	仕事
趣味	
得意わざ	
好きな本	憧れの人
好きな時間	
好きな言葉	

2021

	1 Jan.	**2** Feb.	**3** Mar.	**4** Apr.	**5** May	**6** Jun.
1	金	月	月	木	土	火
2	土	火	火	金	日	水
3	日	水	水	土	月	木
4	月	木	木	日	火	金
5	火	金	金	月	水	土
6	水	土	土	火	木	日
7	木	日	日	水	金	月
8	金	月	月	木	土	火
9	土	火	火	金	日	水
10	日	水	水	土	月	木
11	月	木	木	日	火	金
12	火	金	金	月	水	土
13	水	土	土	火	木	日
14	木	日	日	水	金	月
15	金	月	月	木	土	火
16	土	火	火	金	日	水
17	日	水	水	土	月	木
18	月	木	木	日	火	金
19	火	金	金	月	水	土
20	水	土	土	火	木	日
21	木	日	日	水	金	月
22	金	月	月	木	土	火
23	土	火	火	金	日	水
24	日	水	水	土	月	木
25	月	木	木	日	火	金
26	火	金	金	月	水	土
27	水	土	土	火	木	日
28	木	日	日	水	金	月
29	金		月	木	土	火
30	土		火	金	日	水
31	日		水		月	

	7 Jul.	8 Aug.	9 Sep.	10 Oct.	11 Nov.	12 Dec.
1	木	日	水	金	月	水
2	金	月	木	土	火	木
3	土	火	金	日	水	金
4	日	水	土	月	木	土
5	月	木	日	火	金	日
6	火	金	月	水	土	月
7	水	土	火	木	日	火
8	木	日	水	金	月	水
9	金	月	木	土	火	木
10	土	火	金	日	水	金
11	日	水	土	月	木	土
12	月	木	日	火	金	日
13	火	金	月	水	土	月
14	水	土	火	木	日	火
15	木	日	水	金	月	水
16	金	月	木	土	火	木
17	土	火	金	日	水	金
18	日	水	土	月	木	土
19	月	木	日	火	金	日
20	火	金	月	水	土	月
21	水	土	火	木	日	火
22	木	日	水	金	月	水
23	金	月	木	土	火	木
24	土	火	金	日	水	金
25	日	水	土	月	木	土
26	月	木	日	火	金	日
27	火	金	月	水	土	月
28	水	土	火	木	日	火
29	木	日	水	金	月	水
30	金	月	木	土	火	木
31	土	火		日		金

2021年
100の夢ノート

「いいこと日記」をつけるのと並行して、
ぜひ記しておきたい夢ノート。
大きい夢から小さい夢まで、
今年やりたいことを**100個書き出していきましょう。**
かなったらシールかマークをつけましょう！

〈いいこと〉をたくさん呼び寄せるために欠かせないのが、
〈夢〉の存在です。
誰でも、夢や願望がかなえば嬉しいし、自分に自信がつきます。
しかし、意外に〈自分の夢〉がなんであるかよくわからない場合も多く、
かつての私も〈自分の夢〉をちゃんと把握できずに
漠然と暮らしていたうちのひとりでした。
そこで、書き込み式「いいこと日記」には
「これが欲しい、こんなことをしてみたい」という〈かなえたい夢〉を
書き出せる「夢ノート」のコーナーを設けることにしました。
大きな夢、小さな夢、立派な夢、ささやかな夢……いろいろありますが、
どれも自分にとっては大切な夢なので、
区別せずに思いついたらすぐに書き出すようにしたいのです。
夢は100個くらいあったほうが、毎日が楽しいというのが私の持論。
夢がたくさんあれば、当然かなう数も多いし、
かなった時に〈いいこと〉として書けるからです。

夢ノート、書き方のコツ

例えば……
- 健康で心地よく暮らす
- ３キロ、ダイエットする
- 100万円貯金する
- 笑顔美人になる
- イタリア美食の旅
- テラスでハーブを育てる
- プレゼント上手になる　etc……

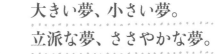

大きい夢、小さい夢。
立派な夢、ささやかな夢。
具体的な夢、漠然とした夢。

なんでもOK！
思いついた順に書いていきましょう。

1	
2	
3	
4	
5	
6	
7	
8	
9	
10	

11	
12	
13	
14	
15	
16	
17	
18	
19	
20	
21	
22	
23	
24	
25	

| 26 |
| 27 |
| 28 |
| 29 |
| 30 |
| 31 |
| 32 |
| 33 |
| 34 |
| 35 |
| 36 |
| 37 |
| 38 |
| 39 |
| 40 |

41	
42	
43	
44	
45	
46	
47	
48	
49	
50	
51	
52	
53	
54	
55	

56

57

58

59

60

61

62

63

64

65

66

67

68

69

70

71	
72	
73	
74	
75	
76	
77	
78	
79	
80	
81	
82	
83	
84	
85	

86	
87	
88	
89	
90	
91	
92	
93	
94	
95	
96	
97	
98	
99	
100	「いいこと日記」をめでたく完成させる。

〈お宅訪問目線〉で福を呼ぶ玄関に

　新しい年、元気を出して福や夢を呼び込みイキイキ暮らすというちょっと欲張りな目標を立ててみることにしました。「最初から、そんなに大風呂敷を広げていいの」という声が聞こえてきそうですが、もしかして途中でちょっとくらい風呂敷が小さくなっても大丈夫だから……というのも〈大人の知恵〉としてアリだと思いませんか？

　そんなわけで、まず1月は「福ウェルカム」な雰囲気の玄関作りから始めてみることにしました。

　手順はこんな感じ。

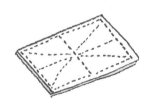

- 自宅玄関を〈お宅訪問目線〉で眺めてみる
- その時「これは美しくないな」と感じたものを処分する
- 上から下への順に、拭き掃除していく
- 福を呼ぶための、ほんのり〈いい香り〉を用意する
- 外からドアを開け、もう一度〈お宅訪問〉してみる

　例えば、〈自分目線〉だけだと、汚れたスニーカーやブーツが玄関に出しっぱなしになっていても素通りし、お正月に飾った花が枯れかけていても気づかなかったりするもの。そこで初めて訪問するお客の気分になって、いつもより興味津々、ちょっと辛辣に。

　各々の家独特の匂いにも、住んでいる本人は意外に無頓着なもの。そのためにも拭き掃除は有効です。そして清潔にしたうえで〈いい香り〉を少々足せば悪くないですね。新年なので、香立てからの雅な香りでお客様や福を呼ぶことにしましょう。

　ここでひとつ嬉しいお知らせを。各月のラストに「おまけページ」を設け、今年の「いいこと日記」は、ちょっと広々したので自由に使ってみてくださいね！

1

月 *Monday*　　火 *Tuesday*　　水 *Wednesday*

Weekly to do

	4 先勝	5 友引	6 先負
	11 友引	12 先負	13 赤口

成人の日

	18 大安	19 赤口	20 先勝
	25 赤口	26 先勝	27 友引

木 *Thursday*	金 *Friday*	土 *Saturday*	日 *Sunday*
	1 仏滅 元日	**2** 大安	**3** 赤口
7 仏滅	**8** 大安	**9** 赤口	**10** 先勝
14 先勝	**15** 友引	**16** 先負	**17** 仏滅
21 友引	**22** 先負	**23** 仏滅	**24** 大安
28 先負	**29** 仏滅	**30** 大安	**31** 赤口

1月にしたいこと

欲しいもの、したいこと、行きたいところ。
月の初めに記しておきましょう。
そして月の終わりに、
できたかどうかを□にチェックしましょう。

自分との約束

暮らし

健康

もの

イベント・旅

お礼・贈り物　▶

本

映画・音楽・テレビ

お店

▶

時候のあいさつ

1月（睦月）の書き出しで「新春」という言葉は、
松の内（一般的には7日）までの使用が望ましいとされています。
以降は「寒中お見舞い」のあいさつになります。

下旬 ← → 上旬

書き出し	例年にない厳しい寒さが続いております	いよいよ寒さも本番となりました	松の内のにぎわいも過ぎ、日々の暮らしが戻ってまいりました	初春にふさわしい穏やかな日が続いております	皆様おそろいでよい年をお迎えのことと存じます	新春を寿ぎ、謹んでお祝い申し上げます	
結び	春の到来を待ちながら、まずはごあいさつまで	寒さ厳しき折、くれぐれもご自愛ください	本年もよろしくご指導のほどお願い申し上げます	今年も変わらぬお付き合いをお願いいたします	今年もご一家にとって幸多き年になりますよう、お祈り申し上げます	新たな年のご多幸をお祈りいたしております	

27

1 第1週

1 金 元日

2 土

3 日

4 月

5 火

6 水

7 木

8 金

9 土

10 日

11 月　成人の日

12 火

13 水

14 木

15 金

16 土

17 日

18 月

19 火

20 水

21 木

22 金

23 土

24 日

January

25 月

26 火

27 水

28 木

29 金

30 土

31 日

1月にできたこと

月の終わりに、今月あったいいことを、忘れないよう書いておきましょう。
時間をおいて読んでみたら、心がほっこりします。

感動した映画・本など

すてきな言葉

うっとりしたこと

感謝してること

おいしかったもの

笑ったこと

来月はこんな前祝い

今月の私のここがエライ！

1月のおまけページ

自分だけに〈アートなチョコレート〉を贈る

　スイーツ類は、当然その優しい甘さに癒されるものですが、最近はその見た目の美しさにも磨きがかかっているようで、うっとり見惚れてしまいます。

　昔からの代表選手は生和菓子。和菓子職人がその季節ならではの繊細で美しい作品を披露してくれています。

　気づくと、パティシエという言葉が市民権を得ていて、昨今ではチョコレートの芸術家ともいえるショコラティエも注目を集めていますよね。

　今の時期、店頭には期間限定の高級チョコも多く並び、心惹かれるわけですが、正直なところ誰かにあげてしまうのでは

少々勿体ない……。

　そんなわけで、今年は自分の気持ちに正直になり、最も心惹かれた〈アートなチョコレート〉は、自分自身だけにプレゼントしてみるのはどうでしょう。

　さて、恒例の方はどうする？

　そちらは、巣ごもり中にハマったお菓子作りのスキル（笑）を活かして、香ばしいチョコクッキーを焼いてみるのも悪くないですね。その時揃えた道具やラッピンググッズも活躍してくれるし、おいしく焼けたかな？の試食も楽しめるでしょう。

● まず自分をもてなし、人にも優しくスイートに接する

　今年の見目麗しい〈アートなチョコレート〉は、ここまで頑張ってきた自分へのご褒美、嬉しくいただきましょう。

　自分のハートに強く訴えかけてきたチョコレートのおかげで元気になり、支えてくれている人たちへの感謝の気持ちを思い出す。そんな〈福を呼び込む栄養チョコ〉にもなるのではないでしょうか。

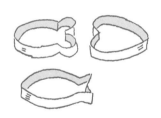

月 *Monday*　　火 *Tuesday*　　水 *Wednesday*

Weekly to do	1 先勝	2 友引	3 先負
			節分
	8 友引	9 先負	10 仏滅
	15 仏滅	16 大安	17 赤口
	22 大安	23 赤口	24 先勝
		天皇誕生日	

木 *Thursday*	金 *Friday*	土 *Saturday*	日 *Sunday*
4 仏滅	**5** 大安	**6** 赤口	**7** 先勝
11 大安 建国記念の日	**12** 先勝	**13** 友引	**14** 先負 バレンタインデー
18 先勝	**19** 友引	**20** 先負	**21** 仏滅
25 友引	**26** 先負	**27** 仏滅	**28** 大安

2月にしたいこと

欲しいもの、したいこと、行きたいところ。
月の初めに記しておきましょう。
そして月の終わりに、
できたかどうかを□にチェックしましょう。

自分との約束
☐

暮らし

☐
☐
☐

健康

☐
☐
☐

もの

☐
☐
☐

イベント・旅

☐
☐
☐

お礼・贈り物

☐ ▶
☐ ▶

本

☐
☐
☐

映画・音楽・テレビ

☐
☐
☐

お店

☐
☐
☐

☐
☐
☐

☐ ▶
☐ ▶

時候のあいさつ

2月（如月）は、季節的には冬とされる最後の月です。
しかし暦のうえでは立春（3日）を迎えるので、
次第に春を感じさせるあいさつが主流になっていきます。

下旬 ← ─────────────────────→ 上旬

書き出し

今年は例年にない大雪とのことですが、
いかがお過ごしでしょうか

子供たちの豆まきの声に、
一足早い春を感じる今日この頃です

立春とは名ばかりの、
厳しい寒さが続いております

寒さの中にも
春の足音が聞こえてくるようです

梅のつぼみがほころぶ季節となりました

木々に注ぐ日の光も
ようやく春めいてまいりました

結び

まだ寒さが続きますが、
くれぐれもご自愛ください

季節の変わり目ですので、
いっそうご自愛ください

余寒厳しき折、
どうぞお体にお気をつけください

三寒四温の時節柄、
健康には十分ご留意ください

春ももう間近です。
暖かくなったら
こちらへもお出かけください

春はもうすぐそこまで来ています。
楽しみに待ちましょう

February

1 月

2 火

3 水

4 木

5 金

6 土

7 日

February

8 月

9 火

10 水

11 木　建国記念の日

12 金

13 土

14 日

15 月

16 火

17 水

18 木

19 金

20 土

21 日

22 月

23 火　天皇誕生日

24 水

25 木

26 金

27 土

28 日

2月にできたこと

月の終わりに、今月あったいいことを、忘れないよう書いておきましょう。
時間をおいて読んでみたら、心がほっこりします。

感動した映画・本など

すてきな言葉

うっとりしたこと

感謝してること

おいしかったもの

笑ったこと

来月はこんな前祝い

今月の私のここがエライ！

2月のおまけページ

March

〈花のある暮らし〉でいい気分

　週末をいい気分で過ごすために、買い物帰りに近所の花屋さんに寄ることが近頃の楽しい習慣です。

　なかなか花の名前を覚えられないので「ケースの左奥にあるピンクの、バラみたいなのを３本……」というような頼み方なのですが「ラナンキュラスですね、この時期におしゃれだと思いますよ」と若奥さんがニコニコと受け応えてくれます。

　メインの花に合わせやすい他の花材の相談にも乗ってもらえるし、先週買った花も覚えていてくれるので、何かと頼りにしているのです。

　ついでに、切り花が長持ちするコツも紹介しておきましょう。

- 生ける前に花瓶に入る部分の余分な葉を取り除く
- 毎日水を替えること
- その時に茎の根元を斜めに１センチずつカットしていく

　花を持ち帰ると、キャビネットの上や窓際のテーブルなども テキパキ片づけられます。花を引き立てるのは、高価な花瓶よ り花を主役にできるすっきりした空間だからです。

　このように、たまたま我が家は近所に花屋さんがあるのです が「近くにないわー」という方におススメなのが、〈お花の定 期便〉サブスクリプションサービスです。このサービスを利用 している友人に聞くと、値段や届けてもらう時期などを選べる いくつかのコースがあるので、忙しくしていても新鮮な花を絶 やさずに済むそうです。

　疲れて帰ってきたら、素敵なお花のブーケが届いているとい うのも、夢があっていいなぁ……と思いました。

　このように今は切り花主体なのですが、もう少し気持ちに余 裕ができたら、季節の花を種から育ててみたいので、とりあえ ずおしゃれなジョウロだけは用意したところです。

月 *Monday*　　　火 *Tuesday*　　　水 *Wednesday*

Weekly to do			
	1 赤口	**2** 先勝	**3** 友引 ひなまつり
	8 先勝	**9** 友引	**10** 先負
	15 仏滅	**16** 大安	**17** 赤口
	22 大安	**23** 赤口	**24** 先勝
	29 赤口	**30** 先勝	**31** 友引

木 _Thursday_	金 _Friday_	土 _Saturday_	日 _Sunday_
4 先負	**5** 仏滅	**6** 大安	**7** 赤口
11 仏滅	**12** 大安	**13** 友引	**14** 先負 ホワイトデー
18 先勝	**19** 友引	**20** 先負 春分の日	**21** 仏滅
25 友引	**26** 先負	**27** 仏滅	**28** 大安

2021

3月にしたいこと

欲しいもの、したいこと、行きたいところ。
月の初めに記しておきましょう。
そして月の終わりに、
できたかどうかを□にチェックしましょう。

自分との約束
- [ ]

暮らし
- [ ]
- [ ]
- [ ]

本
- [ ]
- [ ]
- [ ]

健康
- [ ]
- [ ]
- [ ]

映画・音楽・テレビ
- [ ]
- [ ]
- [ ]

もの
- [ ]
- [ ]
- [ ]

お店
- [ ]
- [ ]
- [ ]

イベント・旅
- [ ]
- [ ]
- [ ]

- [ ]
- [ ]
- [ ]

お礼・贈り物
- [ ] ▶
- [ ] ▶

- [ ] ▶
- [ ] ▶

時候のあいさつ

3月(弥生)は春の訪れの時。ひなまつりを始め行事も多く、あいさつも華やいだものにできます。便箋やカード、切手なども春らしい色や図柄を選びたいものです。

下旬 ←　　　　　　　　　　　　　　　　　　　→ 上旬

書き出し

ひなまつりが近づき、心が華やぐ季節になりました

桃の節句も過ぎ、いよいよ春めいてきました

春らしいうららかな日和が続いております

野山は若草色に染まり、命の息吹が感じられます

ひと雨ごとに暖かさが増す今日この頃です

桜前線北上のニュースに、今からお花見が待たれます

結び

まだ肌寒い日がございます。どうかお体を大切になさってください

春の訪れとともに、皆様の上にも幸せが訪れますようお祈りしております

春陽のもと、どうか健やかにお過ごしください

新天地でのさらなる飛躍を、心よりお祈り申し上げます

何かと慌ただしい時期ですが、お元気でお過ごしください

新年度を迎えましても、変わらずよろしくお願いいたします

65

3 第1週

1 月

2 火

3 水

4 木

5 金

6 土

7 日

8 月

9 火

10 水

11 木

12 金

13 土

14 日

3 第3週

15 月

16 火

17 水

18 木

19 金

20 土　春分の日

21 日

3 第4週

22 月

23 火

24 水

March

25 木

26 金

27 土

28 日

3 第5週

29 月

30 火

31 水

March

3月にできたこと

月の終わりに、今月あったいいことを、忘れないよう書いておきましょう。
時間をおいて読んでみたら、心がほっこりします。

感動した映画・本など

すてきな言葉

うっとりしたこと

感謝してること

おいしかったもの

笑ったこと

来月はこんな前祝い

今月の私のここがエライ！

April

〈頑張りすぎないお弁当〉作ってみませんか

　4月は変化が多いため、時間や体調の管理もとても大切になります。それらに有効なのが、自分のために作ったお弁当。

　私自身、家族のためのお弁当は数多く作ってきましたが、なかなか自分のものまでは……という感じでした。自分のお弁当では「おいしかったよ」という反応が返ってこないから頑張る張り合いがないということだったのでしょうか。

　そう、誰かのためだと（ほめられたいという気持ちもあって）きっと頑張って作るんですね！だから、自分のは〈頑張りすぎないお弁当〉でいいことにすれば、意外にうまくいくかもしれないと思い、さっそく作ってみることにしました。

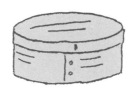

そんな中山式〈頑張りすぎないお弁当〉の目安はこちら。

● 容器だけは「さま」になる曲げわっぱに
● 基本はご飯プラスおかず2品
● 色どりとして緑は必ず入れる

　例えば、ごま塩を振ったご飯におかずは昨夜のから揚げ2個（茶）とブロッコリー（緑）ミニトマト（赤）のシンプルサラダ。あるいは市販の鮭フレークのせご飯（ピンク）に、真ん中から切ったゆで卵（黄）とほうれん草のお浸し（緑）というような組み合わせです。
　簡単だけど見た目もなかなか、シンプルでおいしい。
　まあ、誰かに自分弁当のビジュアルを見られる可能性もゼロではないので、とりあえず緑が入っていると映える！を実行している次第です。
　うまくできた日は「いいこと日記」に簡単なスケッチと共におかずをメモしておくと、後で役立つし、お弁当の絵を眺めただけで不思議にその日のことをありありと思い出せるんです。

月 *Monday*　　火 *Tuesday*　　水 *Wednesday*

Weekly to do

	5 先勝	6 友引	7 先負	
	12 先負	13 仏滅	14 大安	
	19 仏滅	20 大安	21 赤口	
	26 大安	27 赤口	28 先勝	

April

木 *Thursday*	金 *Friday*	土 *Saturday*	日 *Sunday*
1 先負 エイプリル・フール	**2** 仏滅	**3** 大安	**4** 赤口
8 仏滅	**9** 大安	**10** 赤口	**11** 先勝
15 赤口	**16** 先勝	**17** 友引	**18** 先負
22 先勝	**23** 友引	**24** 先負	**25** 仏滅
29 友引 昭和の日	**30** 先負		

4月にしたいこと

欲しいもの、したいこと、行きたいところ。
月の初めに記しておきましょう。
そして月の終わりに、
できたかどうかを□にチェックしましょう。

□ 暮らし

□

□

□

□ 健康

□

□

□

□ もの

□

□

□

□ イベント・旅

□

□

□

□ お礼・贈り物

□ ▶

□ ▶

□ 本

□

□

□

□ 映画・音楽・テレビ

□

□

□

□ お店

□

□

□

□

□

□

□ ▶

□ ▶

April

時候のあいさつ

4月（卯月）は、旧暦で「卯の花」が
咲く時期であることに由来しています。春の明るさと
新年度のフレッシュさが表現できるといいですね。

下旬 ←――――――――――――――――――→ 上旬

	書き出し	結び
	花の便りが各地から聞かれる頃となりました	春爛漫の心地よい季節を、健やかにお過ごしください
	真新しいランドセルの一年生の姿が微笑ましく目に映る、今日この頃です	新年度を迎えお忙しいことでしょうが、どうかお体を第一になさってください
	桜たけなわといった感じです	春の陽気の中、近いうちにお目にかかれたら嬉しいです
	桜の花びらが風に舞い、すっかり葉桜の緑色に変わりました	気持ちのいいこの季節、健やかな日々をお過ごしください
	桜色のトンネルが、	新天地での、益々のご活躍をお祈りしております
	うららかな春日和が続いていますが、お元気でお過ごしでしょうか	
	大型連休も近づいてまいりましたが、いかがお過ごしでしょうか	こちらにお越しの際には、ぜひお立ち寄りください

1 木

2 金

3 土

4 日

4 第2週

5 月

6 火

7 水

8 木

April

9 金

10 土

11 日

2021

4 第3週

12 月

13 火

14 水

15 木

16 金

17 土

18 日

April

19 月

20 火

21 水

22 木

April

23 金

24 土

25 日

4 第5週

26 月

27 火

28 水

29 木 昭和の日

30 金

April

4月にできたこと

月の終わりに、今月あったいいことを、忘れないよう書いておきましょう。
時間をおいて読んでみたら、心がほっこりします。

感動した映画・本など

すてきな言葉

うっとりしたこと

感謝してること

おいしかったもの

笑ったこと

来月はこんな前祝い

今月の私のここがエライ！

2021

5
May

「鏡よ鏡、今日の私をよろしく」の魔法

　しばらく〈荒れ模様の日〉が続いていたようです。それに気づいたきっかけは、洗面所の鏡まわりのゴチャゴチャ加減が目立つようになっていたこと。キャップや蓋がはずれたままの容器もあれば、洗濯機に入っているはずのタオル類もまだそこにありました。いつやってきたのか、読みかけのカタログや雑誌まで……。

　極めつけは、点々と水がはねた跡がつき、全体に曇りが張り巡らされたようになった残念な鏡の姿でした。

　「こんなじゃあ、福なんて寄ってくるわけないよね」とひとり呟いたのですが、本当に〈鏡って心の窓〉なのかもしれません。

心を入れ替えることにして、実行したのは次のようなこと。

● まず、鏡まわりのいらないものをすべて撤去する
● 鏡は最初に水拭きし、続いてすぐに乾拭き
● もう一度、鏡まわりに必要なものだけをレイアウトする

別に化粧品やタオルを新調したわけではないのに、清潔にしたものをきちんと置き直しただけで、見違えるほど素敵な空間になりました。

翌朝、まだ半分寝ている状態で鏡の前に立ち「そうだった、ここきのう綺麗にしたんだった」と思った瞬間、スッキリ目が覚めたのにはびっくりしました。

何となくご利益がありそうな気がしたので「鏡よ鏡、今日の私をよろしく」と心の中でお願いしてみました。

このピカピカの鏡の中に映った私にだって、バンクス家の子供部屋に掛けた鏡の中のもうひとりのメアリー・ポピンズのように、夢や願いをかなえてくれるチカラがあるかもしれない……そんなふうに思える5月のさわやかな朝でした。

5

月 *Monday*　　火 *Tuesday*　　水 *Wednesday*

Weekly to do

	3 赤口 憲法記念日	**4** 先勝 みどりの日	**5** 友引 こどもの日
	10 先勝	**11** 友引	**12** 仏滅
	17 先負	**18** 仏滅	**19** 大安
	24 仏滅 **31** 大安	**25** 大安	**26** 赤口

May

102

木 *Thursday*	金 *Friday*	土 *Saturday*	日 *Sunday*
		1 仏滅	**2** 大安
6 先負	**7** 仏滅	**8** 大安	**9** 赤口 母の日
13 大安	**14** 赤口	**15** 先勝	**16** 友引
20 赤口	**21** 先勝	**22** 友引	**23** 先負
27 先勝	**28** 友引	**29** 先負	**30** 仏滅

2021

5月にしたいこと

欲しいもの、したいこと、行きたいところ。
月の初めに記しておきましょう。
そして月の終わりに、
できたかどうかを□にチェックしましょう。

	自分との約束
□	

□　　　暮らし

□

□

□

□　　　健康

□

□

□

□　　　もの

□

□

□

□　　イベント・旅

□

□

□

□　　お礼・贈り物

□　　　▶

□　　　▶

□　　　本

□

□

□

□　映画・音楽・テレビ

□

□

□

□　　　お店

□

□

□

□

□

□

□　　　▶

□　　　▶

May

時候のあいさつ

5月(皐月)は、ゴールデンウィークの楽しいイベントに始まり
新緑や花々と、時候のあいさつに使える表現には事欠きません。
さわやかで明るい描写を心がけましょう。

下旬 ←　　　　　　　　　　　　　　　　　　　　　→ 上旬

書き出し

八十八夜も過ぎ、新茶のおいしい季節になりました

鯉のぼりが、元気に五月の空を泳いでいます

若葉の明るい緑が、目に鮮やかな今日この頃です

花屋の店頭に、色とりどりのカーネーションが並ぶ頃となりました

青田を渡るさわやかな風が、肌に心地よい季節になりました

木々の緑が、初夏を思わせる日ざしに輝く季節となりました

結び

季節の変わり目です。どうかご自愛ください

五月晴れの空のように、健やかにお過ごしください

すがすがしいこの季節、ぜひこちらにもお出かけください

過ごしやすい季節とはいえ、どうかご無理なさいませんように

身も心もリフレッシュして、元気にお過ごしください

夏はもうすぐそこです。さらなる飛躍をお祈りしております

2021

1 土

2 日

3 月 憲法記念日

4 火 みどりの日

5 水 こどもの日

6 木

7 金

8 土

9 日

10 月

11 火

12 水

13 木

14 金

15 土

16 日

May

2021

17 月

18 火

19 水

20 木

21 金

22 土

23 日

24 月

25 火

26 水

27 木

28 金

29 土

30 日

May

31 月

5月にできたこと

月の終わりに、今月あったいいことを、忘れないよう書いておきましょう。
時間をおいて読んでみたら、心がほっこりします。

感動した映画・本など

すてきな言葉

うっとりしたこと

感謝してること

おいしかったもの

笑ったこと

来月はこんな前祝い

今月の私のここがエライ！

6

June

〈どこかに白いもの〉で晴れ晴れと

　雨の多いこの季節、どんより灰色の空につられるせいなのか湿っぽい気分になりがちです。

　少しでも明るく気持ちを引き立てようと、オレンジや赤のトップスを着てみたのですが、もうちょっと元気になってからでないと肌の色や表情の方が負けてしまう感じ。

　そこで、シンプルな白いシャツに袖を通してみたら〈レフ板効果〉もあったのか、気分が上向いてきたのに驚きました。加えてパールの一粒ピアスをつけると、パンツはいつものデニムでも3割くらい晴れ間が増した感じ。以来、6月の装いポイントは〈どこかに白いもの〉ということにしてみたのです。

- 月曜日　足元を白のローファーにして軽快女子
- 火曜日　白Tシャツに紺のロングスカートでラクコーデ
- 水曜日　白シャツに生成りのワイドパンツで今どき風
- 木曜日　白フレームのだてメガネがワンポイント
- 金曜日　黒地に白の水玉ブラウスでレトロおしゃれ
- 土曜日　木綿の白ロングワンピならロマンチック週末に
- 日曜日　白と赤のボーダーTシャツで元気そのもの

　こんな感じで、白いものを意識して毎日の服装を考えている
うちに、自然に気持ちも晴れ晴れし、活動的な自分になれたよ
うです。

　だんだん夏に向かう時期でもあるので、ファッションだけで
なく暮らし全体に白の割合をちょっとずつ増やしていくことに
しました。手始めに、リビングのソファーに置いてあるチェッ
ク柄のクッションのカバーを白地に貝殻の刺繍のものに替えて
みました。

　これだけで、まだ窓外は雨でも太陽輝く夏の海への期待がふ
くらみワクワクしてきたのです。

6

月 *Monday*　　　火 *Tuesday*　　　水 *Wednesday*

Weekly to do			
		1 赤口	**2** 先勝
	7 赤口	**8** 先勝	**9** 友引
	14 先負	**15** 仏滅	**16** 大安
	21 仏滅	**22** 大安 夏至	**23** 赤口
	28 大安	**29** 赤口	**30** 先勝

木 *Thursday*	金 *Friday*	土 *Saturday*	日 *Sunday*
3 友引	**4** 先負	**5** 仏滅	**6** 大安
10 大安	**11** 赤口	**12** 先勝	**13** 友引
17 赤口	**18** 先勝	**19** 友引	**20** 先負 父の日
24 先勝	**25** 友引	**26** 先負	**27** 仏滅

2021

6月にしたいこと

欲しいもの、したいこと、行きたいところ。
月の初めに記しておきましょう。
そして月の終わりに、
できたかどうかを□にチェックしましょう。

暮らし

本

健康

映画・音楽・テレビ

もの

お店

イベント・旅

お礼・贈り物
▶
▶
▶
▶

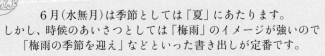

時候のあいさつ

6月（水無月）は季節としては「夏」にあたります。
しかし、時候のあいさつとしては「梅雨」のイメージが強いので
「梅雨の季節を迎え」などといった書き出しが定番です。

下旬 ← ――――――――――――――――→ 上旬

書き出し

衣替えとなり、
学生たちの夏服姿がさわやかに映ります

そろそろ梅雨入りも近いようです

梅雨の季節を迎え、
ぐずついたお天気が続いております

雨に濡れた紫陽花がひときわ鮮やかです

山々の緑も、
雨に打たれて色濃くなりました

吹く風も次第に夏めいてまいりました

結び

天候不順の折、
どうぞお体ご自愛ください

じめじめうっとうしい毎日が始まりますが、
お元気でお過ごしください

長雨の季節でもありますので、
体調を崩さないようお気をつけください

梅雨明けまでもう少し。
どうぞお体大切になさってください

梅雨明けも間近です。
どうか元気でお過ごしください

向暑の折、
いっそうご自愛くださいませ

6 第1週

1 火

2 水

3 木

4 金

5 土

6 日

June

♥ 刻んだ梅干しと大葉を混ぜたおにぎり、お試しあれ　129

7 月

8 火

9 水

10 木

11 金

12 土

13 日

14 月

15 火

16 水

17 木

18 金

19 土

20 日

6 第4週

21 月

22 火

23 水

24 木

25 金

26 土

27 日

6 第5週

28 月

29 火

30 水

6月にできたこと

月の終わりに、今月あったいいことを、忘れないよう書いておきましょう。
時間をおいて読んでみたら、心がほっこりします。

感動した映画・本など

すてきな言葉

うっとりしたこと

感謝してること

おいしかったもの

笑ったこと

来月はこんな前祝い

今月の私のここがエライ！

6月のおまけページ

7
July

バッグに〈涼しげな扇子〉をしのばせて

　夏のお出かけ前のバッグに入れるものたちの準備、これ意外に時間がかかります。

　私の場合は、スマホやお財布、ガーゼ地のハンカチ、ＵＶカット用携帯スプレー、小さめ水筒と塩飴などが必需品なのですが、この夏はそこに〈涼しげな扇子〉も加えることにしました。実は、しばらく前におしゃれ雑貨を扱うお店に並ぶ色とりどりのハンディ扇風機が目に留まり、買おうかかなり迷ったのですが「そうだ、風を送るならあれがあるじゃない！」と思い出したのが、扇子だったんです。

● 目からの涼しさも、大人の夏には欠かせない

　身の回り小物を入れる抽斗の「扇子」と書かれた箱から出て
きたのは3種類でした。ひとつは、かなり昔にいただいた白檀
の扇子。もうひとつはお茶事につかう和紙の扇子。白檀はさす
がにアンティークすぎるし、お茶事のものは小さいし用途が違
うので、もう一度ていねいに箱に戻しました。

　そしてラストの扇子は、数年前におしゃれなレース地が気に
入って買ったものの、存在すら忘れていたのでした。

　「大変失礼しました！」と箱から取り出し、広げてみると（ほ
とんど使わないまま忘れていたので当たり前ですが）汚れもな
く、見た目涼し気。

　という流れで、この夏はやや大きめの籐バッグにレース地の
扇子が仲間入りした次第です。

　その他にも出かける時のＵＶ対策グッズの締めとして、つば
広の帽子にするか日傘にするか問題もありますが、私個人は小
さな日陰をいつも連れていける日傘派。

〈涼し気な扇子〉との相性も良いですからね。

7

月 *Monday*　　　火 *Tuesday*　　　水 *Wednesday*

Weekly to do			
	5 赤口	**6** 先勝	**7** 友引 七夕
	12 友引	**13** 先負	**14** 仏滅
	19 先負 海の日	**20** 仏滅	**21** 大安
	26 仏滅	**27** 大安	**28** 赤口

木 *Thursday*	金 *Friday*	土 *Saturday*	日 *Sunday*
1 友引	**2** 先負	**3** 仏滅	**4** 大安
8 先負	**9** 仏滅	**10** 赤口	**11** 先勝
15 大安	**16** 赤口	**17** 先勝	**18** 友引
22 赤口	**23** 先勝	**24** 友引	**25** 先負
29 先勝	**30** 友引	**31** 先負	

7月にしたいこと

欲しいもの、したいこと、行きたいところ。
月の初めに記しておきましょう。
そして月の終わりに、
できたかどうかを□にチェックしましょう。

自分との約束

□

暮らし

□
□
□

本

□
□
□

健康

□
□
□

映画・音楽・テレビ

□
□
□

もの

□
□
□

お店

□
□
□

イベント・旅

□
□
□

□
□
□

お礼・贈り物

□ ▶
□ ▶

□ ▶
□ ▶

時候のあいさつ

7月（文月）は梅雨が明け、夏本番へと向かいます。
海開きや七夕など夏の季節感を盛り込んでみてください。
なお暑中見舞いは7月22日の大暑の頃から
8月7日の立秋の頃までの間に出すご機嫌伺いです。

下旬 ← ──────────────────── → 上旬

書き出し

海開きや山開きのニュースに、
夏の訪れを感じるこの頃です

長かった梅雨も明け、
いよいよ本格的な夏の到来となりました

今年も朝顔市の時期がやってまいりました

七夕の短冊に願い事をしたのを、
懐かしく思い出す今日この頃です

例年にない暑さが続いておりますが、
いかがお過ごしでしょうか

土用の入りとなり、
日ごとに暑さが増してまいりました

結び

ご家族の皆様お元気で、
楽しい夏を満喫されますよう

これからが暑さの本番です。
お体にはくれぐれもお気をつけください

夏風邪などひかぬよう、
お体をおいといください

今年の夏も、たくさんの
いい思い出を作ってくださいませ

暑さ厳しき折、一層ご自愛ください

夏バテなどなさらぬよう、
暑さをおしのぎください

7 第1週

1 木

2 金

3 土

4 日

July

5 月

6 火

7 水

8 木

9 金

10 土

11 日

12 月

13 火

14 水

15 木

16 金

17 土

18 日

19 月 海の日

20 火

21 水

22 木

23 金

24 土

25 日

26 月

27 火

28 水

29 木

30 金

31 土

7月にできたこと

月の終わりに、今月あったいいことを、忘れないよう書いておきましょう。
時間をおいて読んでみたら、心がほっこりします。

感動した映画・本など

すてきな言葉

うっとりしたこと

感謝してること

おいしかったもの

笑ったこと

来月はこんな前祝い

今月の私のここがエライ！

7月のおまけページ

8

August

ベランダで〈日本一小さな花火大会〉

　女友達3名と2回目の〈日本一小さな花火大会〉を開催することが決定しました。

　1回目は去年でした。各地の有名大花火大会が中止になり「それじゃあ、日本一小さい花火大会っていうのはどう？」とひとりの友人。戸建ての彼女の家なら庭で実施しても近隣の迷惑にもならないし、ましてや日本一小さいって（笑）とそこにいた女たち全員にウケて、早速近くのショッピングモールに花火を買いに行くことになりました。

　極彩色のパッケージも懐かしく「えー、おもちゃ花火っていうんだ」とか「パーティー用なんていうのもある」と盛り上が

り「大玉スイカも買っちゃわない？」

　その週末に集まったのですが、庭には冷やしたスイカ、蚊取り線香、水の入ったバケツとローソクというレトロ感で統一されたコーナーが設けられていました。

　大会のラストを飾ったのは、線香花火。なぜかみんな一様に神妙な顔になったのでした。

● 庭石に線香花火のよべの屑　（高野素十（すじゅう））

　いうまでもなく「花火」は夏の季語、中でも線香花火を詠んだ句はたくさんありますが、高浜虚子の弟子でもある素十の味わいある一句を紹介させていただきました。

　第2回は、去年「パーティー用もある」と嬉しそうだった友人宅のベランダで開催予定です。その人なりの企画の〈日本一小さな花火大会〉なので、今回はパリピ風かも？なんて楽しみにしています。

　ちなみに、彼女の選んだパーティー用の花火は、スパーク花火と呼ばれ、棒状なのでケーキにも刺せる華やかなものです。

Weekly to do

	2 大安	3 赤口	4 先勝
9 友引	10 先負	11 仏滅 山の日
16 先負	17 仏滅	18 大安
23 仏滅　30 大安	24 大安　31 赤口	25 赤口

			1 仏滅
5 友引	**6** 先負	**7** 仏滅	**8** 先勝
12 大安	**13** 赤口	**14** 先勝	**15** 友引
19 赤口	**20** 先勝	**21** 友引	**22** 先負
26 先勝	**27** 友引	**28** 先負	**29** 仏滅

8月にしたいこと

欲しいもの、したいこと、行きたいところ。
月の初めに記しておきましょう。
そして月の終わりに、
できたかどうかを□にチェックしましょう。

自分との約束

- ☐

暮らし

- ☐
- ☐
- ☐

健康

- ☐
- ☐
- ☐

もの

- ☐
- ☐
- ☐

イベント・旅

- ☐
- ☐
- ☐

お礼・贈り物

- ☐ ▶
- ☐ ▶

本

- ☐
- ☐
- ☐

映画・音楽・テレビ

- ☐
- ☐
- ☐

お店

- ☐
- ☐
- ☐

- ☐
- ☐
- ☐

- ☐ ▶
- ☐ ▶

時候のあいさつ

8月（葉月）は暦のうえでは7日頃に立秋を迎えますが、
実際には夏の真最中なので、暑さを表現する形になります。
お盆にまつわる行事や涼しさへの期待なども使われます。

下旬 ← ────────────────── → 上旬

書き出し

炎天下にヒマワリの花が、
たくましく咲いています

入道雲が盛夏の勢いそのままに、
空に盛り上がっています

暦の上では立秋を迎えましたが、
クーラーが大活躍する日が続いています

帰省の折、久々に浴衣を着て
盆踊りの輪に加わりました

お盆を過ぎ、朝夕は幾分しのぎやすく
なってまいりました

空の青さに、秋の気配がうっすらと
感じられる今日この頃です

結び

夏の盛りですが、
お元気でこの夏を乗り切られますように

猛暑も今が峠です。
どうぞご自愛くださいませ

熱帯夜が続いています。
夏負けに留意され
健やかにお過ごしください

残り少ない夏休み、
ご家族の皆様で存分にお楽しみください

夏のお疲れが出ませんように

皆様ご壮健にて、
さわやかな秋をお迎えください

167

August

1 日

2 月

3 火

4 水

5 木

6 金

7 土

8 日

August

9 月

10 火

11 水 山の日

12 木

13 金

14 土

15 日

16 月

17 火

August

18 水

19 木

20 金

21 土

22 日

August

23 月

24 火

25 水

26 木

27 金

28 土

29 日

30 月

31 火

August

8月にできたこと

月の終わりに、今月あったいいことを、忘れないよう書いておきましょう。
時間をおいて読んでみたら、心がほっこりします。

感動した映画・本など

すてきな言葉

うっとりしたこと

感謝してること

おいしかったもの

笑ったこと

来月はこんな前祝い

今月の私のここがエライ！

8月のおまけページ

9

September

〈テーマのある場所〉を作ってメリハリを

　そんなに広いわけではないのに、スッキリかつ魅力的なセンスのいい部屋に共通することは何？と考えてみました。

　単にモノが少ないのとも違うし、収納設備が完備しているのとも違う、メリハリが感じられる空間。そう、ヒントはメリハリにあり！と気づいたのでした。

　とりあえず〈テーマのある場所〉を決めてみましょう。

　その際、ポイントになるのが、ミニ何々風です。

　例えば

● ひとつの壁面に気に入った写真や絵ハガキを集めて飾りミニ

ギャラリー風にする
● 本棚の前に小さな机と椅子を移動し、小さなスタンドも置いてミニ図書館風にする
● あちこちに置いてあった観葉植物を一か所に集めてミニ植物園風にする

　ギャラリーの場合、できれば作品は額にいれたいですが、そんなに出費はしたくないなら、100均のお店などで木地のままのものを購入し、好きな色を塗ってもいいですね。

　ハガキサイズ程度の額ならペンキでなく、アクリル絵の具でも簡単に塗れます。

　いずれの場合も、その場所を眺めるだけでも幸せな気分になるし、新たな作品や蔵書や植物たちを迎える夢もふくらむことでしょう。

　モノを減らすことばかり考えずに、好きなものを活かして〈テーマのある場所〉を作る。すると不思議なことに、その場所が引き立つよう、他の場所をスッキリ片づけたくなってくるのです。

月 *Monday*　　　火 *Tuesday*　　　水 *Wednesday*

Weekly to do			**1** 先勝	
	6 赤口	**7** 友引	**8** 先負	
	13 友引	**14** 先負	**15** 仏滅	
	20 先負 敬老の日	**21** 仏滅	**22** 大安	
	27 仏滅	**28** 大安	**29** 赤口	

September

木 _Thursday_	金 _Friday_	土 _Saturday_	日 _Sunday_
2 友引	**3** 先負	**4** 仏滅	**5** 大安
9 仏滅	**10** 大安	**11** 赤口	**12** 先勝
16 大安	**17** 赤口	**18** 先勝	**19** 友引
23 赤口 秋分の日	**24** 先勝	**25** 友引	**26** 先負
30 先勝			

2021

9月にしたいこと

欲しいもの、したいこと、行きたいところ。
月の初めに記しておきましょう。
そして月の終わりに、
できたかどうかを□にチェックしましょう。

自分との約束
□

暮らし
□
□
□

健康
□
□
□

もの
□
□
□

イベント・旅
□
□
□

お礼・贈り物
□ ▶
□ ▶

本
□
□
□

映画・音楽・テレビ
□
□
□

お店
□
□
□

□
□
□

□ ▶
□ ▶

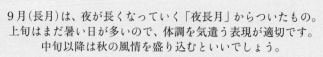

時候のあいさつ

9月（長月）は、夜が長くなっていく「夜長月」からついたもの。
上旬はまだ暑い日が多いので、体調を気遣う表現が適切です。
中旬以降は秋の風情を盛り込むといいでしょう。

下旬 ← → 上旬

書き出し

- 九月になりましても、なお厳しい残暑が続いております
- 朝夕は、いくぶん過ごしやすくなりました
- 初秋の風にコスモスが揺れる季節になりました
- 鰯雲が浮かび、日に日に秋の色が濃くなってまいりました
- 夕焼け空に赤とんぼが群れ飛ぶこの頃、すっかり秋ですね
- 実りの季節を迎え、食欲の秋もいよいよ本番です

結び

- 夏バテは秋に出ると申します。お体には十分ご留意ください
- 季節の変わり目、くれぐれもご無理なさいませんように
- さわやかな秋を満喫されますよう、お祈り申し上げます
- 秋の気配を感じつつ、お会いできる日を楽しみにしております
- 秋風が心地よい季節、いっそうご活躍ください
- 皆様の秋が実り多きものとなりますよう、お祈り申し上げます

9 第1週

1 水

2 木

3 金

4 土

5 日

6 月

7 火

8 水

September

9 木

10 金

11 土

12 日

13 月

14 火

15 水

16 木

17 金

18 土

19 日

9 第4週

20 月　敬老の日

21 火

22 水

23 木　秋分の日

24 金

25 土

26 日

196

9 第5週

27 月

28 火

29 水

30 木

9月にできたこと

月の終わりに、今月あったいいことを、忘れないよう書いておきましょう。
時間をおいて読んでみたら、心がほっこりします。

感動した映画・本など

すてきな言葉

うっとりしたこと

感謝してること

おいしかったもの

笑ったこと

来月はこんな前祝い

今月の私のここがエライ！

200

2021

9月のおまけページ

10

October

〈手紙を書く秋の夜〉にしてみる

　夕食後、テレビを観ることがほとんどなくなりました。

　じゃあ何をしている？携帯でラインしたり、タブレットでゲームしたり、パソコンで動画観たり。

　あれ、結局は単にテレビの番組を観なくなっただけで（大きさや用途こそ色々だけど）液晶画面を観ていることには変わりありませんでした。反省、反省。

　そんな反省モードで、今年に入ってからの夜の過ごし方をじっくり思い返すと「いいこと日記」をつけるのはちゃんと自分の習慣になっているけれど、誰かにハガキや手紙を書く機会がめっきり減っていたなぁ……。

せっかく「いいこと日記」に各月の時候のあいさつのページ
を設けたのに、勿体ないです。10月だって

●　美しく色づき始めた紅葉に、
　　秋の深まりを感じる今日この頃です

　などと（自画自賛になっちゃいますが）、この季節にピッタ
リの良いフレーズを用意したのに使わないまま紅葉シーズンが
終わってしまうなんて。そんなふうに反省をしまして、今更で
すが〈手紙を書く秋の夜〉を作ってみることにしました。
　久々に文箱を開けると、ちゃんと今の季節にピッタリの便箋
も封筒も、シールも！ありました。
　もう書き出しの文面は用意されているし、結びも

●　この素敵な季節を満喫してくださいませ

　で決まりです。どうか皆様、この素敵な〈手紙を書く秋の夜〉
を満喫してくださいませね！

月 *Monday*　　　火 *Tuesday*　　　水 *Wednesday*

Weekly to do

| 4 | 5 | 6 |
| 大安 | 赤口 | 先負 |

| 11 | 12 | 13 |
| 友引 | 先負 | 仏滅 |

スポーツの日

| 18 | 19 | 20 |
| 先負 | 仏滅 | 大安 |

| 25 | 26 | 27 |
| 仏滅 | 大安 | 赤口 |

October

木 *Thursday*	金 *Friday*	土 *Saturday*	日 *Sunday*
	1 友引	**2** 先負	**3** 仏滅
7 仏滅	**8** 大安	**9** 赤口	**10** 先勝
14 大安	**15** 赤口	**16** 先勝	**17** 友引
21 赤口	**22** 先勝	**23** 友引	**24** 先負
28 先勝	**29** 友引	**30** 先負	**31** 仏滅 ハロウィン

2021

10月にしたいこと

欲しいもの、したいこと、行きたいところ。
月の初めに記しておきましょう。
そして月の終わりに、
できたかどうかを□にチェックしましょう。

暮らし

□

□

□

本

□

□

□

健康

□

□

□

映画・音楽・テレビ

□

□

□

もの

□

□

□

お店

□

□

□

イベント・旅

□

□

□

□

□

□

お礼・贈り物

□ ▶

□ ▶

□ ▶

□ ▶

時候のあいさつ

10月（神無月）は、出雲（島根県）に神様が集まり諸国には
いなくなることからつけられたとされています。この時期はお天気が良く
運動会や紅葉狩りなど、楽しいイベントも多いので反映させてみてください。

下旬 ←　　　　　　　　　　　　　　　→ 上旬

書き出し

澄み切った空の下、運動会のにぎやかな歓声が聞こえてきます

秋晴れの日が続き、何をするにも心地よい季節です

絶好の行楽日和が続いていますが、どちらかへお出かけになりましたか

美しく色づき始めた紅葉に、秋の深まりを感じる今日この頃です

日増しに秋が深まり、街路樹の葉も散り始めました

秋風が冷たく、身にしみるようになってまいりました

結び

さわやかな秋の日々を、どうぞお健やかにお過ごしください

行楽にスポーツにと秋を存分に楽しまれますように

晴れ渡った秋空のように、気持ちのよい日々をお過ごしください

野山もすっかり秋の装いです。この素敵な季節を満喫してくださいませ

これから朝夕は冷えてまいりますので、お体にお気をつけください

季節の変わり目です。どうかお体を大切に

2021

209

10 第1週

1 金

2 土

3 日

10 第2週

4 月

5 火

6 水

7 木

8 金

9 土

10 日

11 月 スポーツの日

12 火

13 水

14 木

15 金

16 土

17 日

18 月

19 火

20 水

21 木

October

22 金

23 土

24 日

10 第5週

25 月

26 火

27 水

28 木

29 金

30 土

31 日

October

10月にできたこと

月の終わりに、今月あったいいことを、忘れないよう書いておきましょう。
時間をおいて読んでみたら、心がほっこりします。

感動した映画・本など

すてきな言葉

うっとりしたこと

感謝してること

おいしかったもの

笑ったこと

来月はこんな前祝い

今月の私のここがエライ！

11

November

琺瑯の鍋で〈コトコト煮込む休日〉を

夕食の献立に鍋物の出番が増えてくる季節になりました。

ヘルシーだし、素材を切るだけで準備はラクだし、〆は出汁のジャンルに合わせて雑炊も良し、中華麺も嬉しい。

もちろん、そんな夕食を手抜きだとはサラサラ思っていない私です。でも、鍋物ってオノマトペ的に表現すればグツグツで、しばらくコトコトの方とご無沙汰だったことに気づきました。

一応、辞書をチェックして両者の違いを確認したのですが、

● グツグツは（火加減が強く）ものがよく煮え立つ音を表わす
● コトコトは（弱めの火で）ものが静かに煮える音を表わす

ということでした。

　10月には手紙を書く夜も作ったことだし、今月は〈コトコ
ト煮込む休日〉も作る。ようやくそんな丁寧さを取り戻す自
分になれそうです。

　おススメは、やはり定番のポトフでしょうか。

●琺瑯鍋に厚切りベーコンを入れ、軽く焼き色をつける
●小ぶりのタマネギとジャガイモは皮を剥き丸ごと使う
●ニンジン、セロリは一口大、キャベツは手でちぎって入れる
●ローリエを加え沸騰しない程度の弱火でコトコト煮込む
●柔らかくなったら、塩コショウで味を調える

　昼下がりのキッチンにもいい匂いが満ち、その誘惑は（多め
の）味見をせずにはいられないレベルです。

　少し煮崩れて欠けたジャガイモに粒マスタードをつけてハフ
ハフ食べたら、幸せそのものです。

　煮込んでいる間に、3日ばかり溜めていた「いいこと日記」
にも、書き込みをすることができました。

11

月 *Monday*   火 *Tuesday*   水 *Wednesday*

Weekly to do	**1** 大安	**2** 赤口	**3** 先勝
			文化の日
	8 先勝	**9** 友引	**10** 先負
	15 友引	**16** 先負	**17** 仏滅
	22 先負	**23** 仏滅 勤労感謝の日	**24** 大安
	29 仏滅	**30** 大安	

木 _Thursday_	金 _Friday_	土 _Saturday_	日 _Sunday_
4 友引	**5** 仏滅	**6** 大安	**7** 赤口
11 仏滅	**12** 大安	**13** 赤口	**14** 先勝
18 大安	**19** 赤口	**20** 先勝	**21** 友引
25 赤口	**26** 先勝	**27** 友引	**28** 先負

_2021_

11月にしたいこと

欲しいもの、したいこと、行きたいところ。
月の初めに記しておきましょう。
そして月の終わりに、
できたかどうかを□にチェックしましょう。

□

暮らし

□
□
□

健康

□
□
□

もの

□
□
□

イベント・旅

□
□
□

お礼・贈り物

□ ▶
□ ▶

本

□
□
□

映画・音楽・テレビ

□
□
□

お店

□
□
□

□
□
□

□ ▶
□ ▶

November

時候のあいさつ

11月（霜月）は、暦として上旬は晩秋ですが中旬からは初冬に入ります。
七五三や酉の市のにぎやかさや落葉、
冬に向かう気分などを表現してみてください。

下旬 ←──────────────────────→ 上旬

書き出し

秋も深まり、
だいぶ日が短くなってまいりました

近くの神社では、七五三の晴れ姿で
はしゃぐ子供たちが見られます

菊の香りが漂う季節になりましたが、
いかがお過ごしでしょうか

街路のいちょうも色づき、
黄金色に輝いております

北国からは雪の便りが届く今日この頃です

陽だまりが
恋しい季節になってまいりました

結び

秋冷の候、
体調を崩されませんようご自愛ください

秋晴れの日を、
皆様お健やかにお過ごしください

くれぐれも夜寒にお気をつけくださいませ

めっきり冷え込むようになりました。
お風邪などひかれませんように

向寒の折、
どうぞ温かくしてお過ごしください

年の瀬に向けてお忙しい日々が続きますが、
お元気でご活躍ください

1 月

2 火

3 水　文化の日

4 木

5 金

November

6 土

7 日

8 月

9 火

10 水

11 木

12 金

13 土

14 日

15 月

16 火

17 水

18 木

19 金

November

20 土

21 日

2021

11 第4週

22 月

23 火 勤労感謝の日

24 水

25 木

26 金

27 土

28 日

November

11 第5週

29 月

30 火

🍵 ゴミを減らす工夫、いつも心がけたいです　239

11月にできたこと

月の終わりに、今月あったいいことを、忘れないよう書いておきましょう。
時間をおいて読んでみたら、心がほっこりします。

感動した映画・本など

すてきな言葉

うっとりしたこと

感謝してること

おいしかったもの

笑ったこと

来月はこんな前祝い

今月の私のここがエライ！

11月のおまけページ

〈ふたつの夢を楽しむ〉ためのベッド周り

　1年のフィナーレである12月は、これまでを思い返すと共に、これからの夢についても様々な思いを巡らす大切な1か月。加えて、質の良い健康な眠りがもたらしてくれる楽しい夢の方も味わいたいですよね。

● これからと今晩の、ふたつの夢を楽しむベッド周りに

　寝具そのものを総取り替えするのは大変ですが、カバー類なら何とかなりそう。できれば、少し甘いテイストにして、夢感を出したいです。

　ただしフリルやリボンをつけるというようなファンシーな甘さでなく、大人スイートという感じかな。

　まずは、ファブリックの色合い。無地ならクリーム色やそこに何粒かの苺をつぶして混ぜたくらいの淡いピンクなどは温かく夢がありますね。

　柄ものを選ぶなら、白地に細めのブルーのストライプやこげ

茶の単色で描いたクラシックな花柄なども大人スイートです。
枕カバーもお揃いにして、より夢感を出しましょう。

　スタンドの灯りも温かみのある色に替え、サイドテーブルにはお気に入りの本と小さなスノードームを置く。

　そしてもうひとつ忘れてはならないのが、香りです。洗濯して太陽を浴びた清潔な香りが一番ですが、安眠効果のあるハーブやヒバ入りの香り袋を枕元に置くのもいいと思います。

　★2021年をよくがんばったあなたが、
　　ふたつの夢を楽しめますように★

12

月 *Monday*　　　火 *Tuesday*　　　水 *Wednesday*

Weekly to do			**1** 赤口
	6 先勝	**7** 友引	**8** 先負
	13 友引	**14** 先負	**15** 仏滅
	20 先負	**21** 仏滅	**22** 大安
	27 仏滅	**28** 大安	**29** 赤口

木 *Thursday*	金 *Friday*	土 *Saturday*	日 *Sunday*
2 先勝	**3** 友引	**4** 大安	**5** 赤口
9 仏滅	**10** 大安	**11** 赤口	**12** 先勝
16 大安	**17** 赤口	**18** 先勝	**19** 友引
23 赤口	**24** 先勝 クリスマスイブ	**25** 友引 クリスマス	**26** 先負
30 先勝	**31** 友引		

2021

12月にしたいこと

欲しいもの、したいこと、行きたいところ。
月の初めに記しておきましょう。
そして月の終わりに、
できたかどうかを□にチェックしましょう。

□ 暮らし

□

□

□

□ 健康

□

□

□

□ もの

□

□

□

□ イベント・旅

□

□

□

□ お礼・贈り物

□ ▶

□ ▶

□ 本

□

□

□

□ 映画・音楽・テレビ

□

□

□

□ お店

□

□

□

□

□

□

□ ▶

□ ▶

December

時候のあいさつ

12月（師走）は、お歳暮、クリスマス、大掃除など
バラエティ豊かながら慌ただしい月といえます。
1年の感謝の気持ちもこめられたあいさつ文になるといいですね。

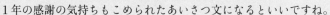

下旬 ← ─────────────────→ 上旬

書き出し

今年のカレンダーも残り一枚となりました

師走の風の冷たさを実感する
今日この頃です

クリスマスのイルミネーションが、
美しい季節になりました

当地では雪のちらつくこともある
昨今ですが、いかがお過ごしですか

年の瀬も押し迫り、
慌ただしくなってまいりました

新しい年の準備にお忙しいことでしょう

結び

空気が乾燥しています。
くれぐれもお風邪などめしませんように

気ぜわしい日々が続きますが、
お体にお気をつけください

皆様で素敵なクリスマスを
お楽しみください

一年の感謝をこめ、まずはごあいさつまで

今年も大変お世話になりました。
来年もよろしくお願いいたします

ご家族皆様お揃いで、
よい年をお迎えください

2021

249

12 第1週

1 水

2 木

3 金

4 土

5 日

12 第2週

6 月

7 火

8 水

9 木

10 金

11 土

12 日

December

★よく寝られる人は、よく働いた人　253

12 第3週

13 月

14 火

15 水

16 木

17 金

18 土

19 日

♥ 自分をいくらほめてもほめすぎにはなりません

20 月

21 火

22 水

23 木

24 金

25 土

26 日

12 第5週

27 月

28 火

29 水

30 木

31 金

12月にできたこと

月の終わりに、今月あったいいことを、忘れないよう書いておきましょう。
時間をおいて読んでみたら、心がほっこりします。

感動した映画・本など

すてきな言葉

うっとりしたこと

感謝してること

おいしかったもの

笑ったこと

来月はこんな前祝い

今月の私のここがエライ！

2021年のまとめ

12月のおまけページ

2021年の
いいことランキング

1年の終わりに、今年の総括をしてみましょう。
あれこれ思い出してみるきっかけとして、今年の〈いいこと〉ベスト10を書き出してみて。
見るたびに、宝物のような日々がよみがえります。

1

2

3

4

5

6

7

8

9

10

「いいこと日記」を楽しみ、使いこなすための  **8つの格言**

1 日記をつけようと思った時が、あなたのスタートタイム

「いいこと日記」に常識や義務はありません。いつ始めてもOK。
そして毎日書かなくてもOK。書く分量だって、自由自在です。

2 長続きのコツは、「陰気な正直より、陽気なハッタリ」

その日に起きたすべての出来事を覚えておく必要もないし、
記録しなければならない理由もありません。
自分の幸せに結びつく、多少のハッタリはむしろウェルカム！

3 翌月にバトンタッチする感覚で、月末はちょっとがんばろう

義務ではないけれど、少し気持ちを引き締めるために、
月末の数日はなるべくスペースを埋めてみて。
「その月のうちに日記を断念した」という結末にならずに済みます。

4 「いいこと日記」はあなたの頼りになる相談相手

自分のことを一番よく知っているのは自分自身。
どんな助言も採用するかどうかは自分自身で判断すればいい。
「いいこと日記」は、自分を見つめる鏡のような存在です。

「いいこと日記」を書くうえでコツとなる格言、
そして〈いいこと〉体質になるための、ヒントをくれる格言です。

5 〈なりたい自分〉プロジェクトの企画書でもある

その日あった〈いいこと〉だけでなく、これからの
願望や夢も絵や文章、切り抜きで楽しく表現しましょう。
自分こそが〈なりたい自分〉のプロデューサーです。

6 過去のあなたが今のあなたを育んでくれる

「いいこと日記」を読み返す時間は、過去を振り返って
成長を確かめる瞬間。うまくいかなかった日には
パワーをもらえるし、教えられることもたくさんあります。

7 なぜか人付き合いがラクになる

人付き合いの失敗の大きな要因に〈しゃべりすぎ〉があります。
よくある〈ここだけの話〉を人に話すのではなく
「いいこと日記」に記すようにすれば、
余計なトラブルやストレスも軽減。

8 できたことをほめるクセづけをしよう

日常において、実はひっそり「よくやったな」と思うことが
あったら、「いいこと日記」でめいっぱい自分を褒めましょう。
アイロンがけ、ガラス磨きなど日常のささやかなことこそ大切。
家事や仕事の意欲を高めて〈生活の達人〉になりましょう。

2022

1

月	火	水	木	金	土	日
					1	2
3	4	5	6	7	8	9
10	11	12	13	14	15	16
17	18	19	20	21	22	23
24	25	26	27	28	29	30
31						

2

月	火	水	木	金	土	日
	1	2	3	4	5	6
7	8	9	10	11	12	13
14	15	16	17	18	19	20
21	22	23	24	25	26	27
28						

3

月	火	水	木	金	土	日
	1	2	3	4	5	6
7	8	9	10	11	12	13
14	15	16	17	18	19	20
21	22	23	24	25	26	27
28	29	30	31			

4

月	火	水	木	金	土	日
				1	2	3
4	5	6	7	8	9	10
11	12	13	14	15	16	17
18	19	20	21	22	23	24
25	26	27	28	29	30	

5

月	火	水	木	金	土	日
						1
2	3	4	5	6	7	8
9	10	11	12	13	14	15
16	17	18	19	20	21	22
23	24	25	26	27	28	29
30	31					

6

月	火	水	木	金	土	日
		1	2	3	4	5
6	7	8	9	10	11	12
13	14	15	16	17	18	19
20	21	22	23	24	25	26
27	28	29	30			

7

月	火	水	木	金	土	日
				1	2	3
4	5	6	7	8	9	10
11	12	13	14	15	16	17
18	19	20	21	22	23	24
25	26	27	28	29	30	31

8

月	火	水	木	金	土	日
1	2	3	4	5	6	7
8	9	10	11	12	13	14
15	16	17	18	19	20	21
22	23	24	25	26	27	28
29	30	31				

9

月	火	水	木	金	土	日
			1	2	3	4
5	6	7	8	9	10	11
12	13	14	15	16	17	18
19	20	21	22	23	24	25
26	27	28	29	30		

10

月	火	水	木	金	土	日
					1	2
3	4	5	6	7	8	9
10	11	12	13	14	15	16
17	18	19	20	21	22	23
24	25	26	27	28	29	30
31						

11

月	火	水	木	金	土	日
	1	2	3	4	5	6
7	8	9	10	11	12	13
14	15	16	17	18	19	20
21	22	23	24	25	26	27
28	29	30				

12

月	火	水	木	金	土	日
			1	2	3	4
5	6	7	8	9	10	11
12	13	14	15	16	17	18
19	20	21	22	23	24	25
26	27	28	29	30	31	

2022年の夢リスト

来年に向けて新しい夢がわいてきたら、忘れないうちに書きとめておきましょう。

中山庸子（なかやまようこ）

群馬県生まれ。女子美術大学、セツ・モードセミナー卒業。
県立女子高校の美術教師を経て、現在、エッセイスト、イラ
ストレーターとして活躍中。自らの夢を実現した体験とその
方法を綴ったエッセイ『夢ノート』シリーズで圧倒的支持を
得て、以降、『「夢ノート」のつくりかた』をはじめ、『いいこ
と日記』『朝ノートの魔法』『書き込み式 わたしの取扱説明書
ノート』など、数々の自分応援ノートのつくりかたを発表、
いずれもロングセラーとなった。そのノート術に信頼が寄せ
られるノートマスター。

ホームページ
https://www.matsumoto-nakayama.com/

インスタグラム
https://www.instagram.com/matsumoto_nakayama_office

ツイッター
@iikoto_yoko

ブログ
http://www.matsumotonakayama-blog.com/

書き込み式
新 いいこと日記 2021年版

2020年9月26日　第一刷

著者　　　　中山庸子
デザイン　　中山詳子、渡部敦人
イラスト　　松本孝志
発行者　　　成瀬雅人
発行所　　　株式会社 原書房
　　　　　　〒160-0022　東京都新宿区新宿1-25-13
　　　　　　電話・代表　03-3354-0685
　　　　　　http://www.harashobo.co.jp/
　　　　　　振替・00150-6-151594
印刷・製本　シナノ印刷株式会社